D1171198

Découvrez tous les titres de la collection Mes p'tits contes

Un conte publié en collaboration avec le magazine HiSTOiRES pour les petits

© Éditions Milan, 2012
1, rond-point du Général-Eisenhower, 31101 Toulouse Cedex 9, France.

Droits de traduction et de reproduction réservés pour tous les pays.
Toute reproduction, même partielle, de cet ouvrage est interdite.
Loi 49.956 du 16 juillet 1949 sur les publications destinées à la jeunesse.

Dépôt légal : septembre 2012
ISBN : 978-2-7459-6064-1
Achevé d'imprimer au 4e trimestre 2020 en Chine
editionsmilan.com

Le Petit Chaperon rouge

Un conte adapté par Émilie Bélard d'après les versions
de Charles Perrault et des frères Grimm,
illustré par Amélie Falière.

Il était une fois une petite fille si adorable que tout le monde l'aimait rien qu'à la regarder.
Un jour, sa mère-grand lui fit cadeau d'un chapeau en velours rouge coquelicot. La fillette le trouva très joli et décida de ne plus le quitter. Depuis, l'enfant était appelée le Petit Chaperon rouge par tous les gens du pays.
Un matin, sa mère dit au Petit Chaperon rouge :
– Ta mère-grand est fatiguée. Apporte-lui ce morceau de galette et ce pot de beurre pour la réconforter.
Et surtout, prends soin de ne pas te perdre en chemin.
Ne va pas de-ci, de-là, et marche droit !

Sa mère-grand n'habitait pas tout près.
Pour se rendre chez elle, le Petit Chaperon rouge devait traverser la forêt... Alors qu'elle venait d'entrer dans le bois, un loup s'approcha à pas feutrés.

MIAM !

– Bonjour, Petit Chaperon rouge, dit le loup. Qu'as-tu dans ton panier ?
– De la galette et un pot de beurre. Je vais les apporter à ma mère-grand qui habite la maison de l'autre côté de la forêt, répondit le Petit Chaperon rouge.
Le loup eut alors une idée :
– Si on jouait ? Tu prends ce chemin-ci et moi celui-là. Le premier de nous deux qui arrive a gagné !
– D'accord, dit le Petit Chaperon rouge sans se méfier.

Hi
Hi!
chez
mère-grand

Le loup était rusé. Il prit un raccourci qu'il connaissait et, alors que le Petit Chaperon rouge était encore loin, il arriva chez Mère-Grand le premier.
Toc toc toc !
Le loup frappa à la porte, prit une petite voix et murmura :
– Bonjour, Mère-Grand, c'est moi, le Petit Chaperon rouge.
Du fond de son lit, la mère-grand répondit :
– Bonjour, ma chérie. Tire la chevillette, la bobinette cherra.
La porte s'ouvrit, le loup entra, se jeta sur la mère-grand… et l'avala tout rond ! Puis il enfila une chemise de nuit, noua un bonnet sur sa tête et se glissa sous l'édredon.

GRRRR
Hiiiiiii
BOING!

Toc toc toc !

Quelques instants plus tard, le Petit Chaperon rouge frappait à la porte :

– Bonjour, Mère-Grand, c'est moi, le Petit Chaperon rouge.

Du fond de son lit, le loup chevrota :

– Bonjour, ma chérie. Tire la chevillette, la bobinette cherra.

La porte s'ouvrit, le Petit Chaperon rouge entra et posa son panier. Puis la fillette s'approcha du lit et dit :

– Mère-Grand, comme tu as de grandes oreilles !

– C'est pour mieux t'entendre, mon enfant, répondit le loup.

– Mère-Grand, comme tu as de grands yeux !

– C'est pour mieux te voir, mon enfant.

– Mère-Grand, comme tu as de grandes dents !

– C'est pour mieux te manger ! hurla cette fois le loup.

Puis il bondit sur le Petit Chaperon rouge... et l'avala tout rond ! Le ventre bien rempli, le loup s'endormit et se mit à ronfler si fort que les murs de la maison en tremblaient. Le bruit attira l'attention d'un chasseur des environs. Quand il entra dans la maison et vit le loup dormant dans le lit de la mère-grand, le chasseur voulut le tuer sur-le-champ. Mais il réfléchit et se dit que ce vilain loup avait sûrement avalé la vieille dame.

RONPiCH!

Le chasseur découpa le ventre du loup avec des ciseaux.
Le Petit Chaperon rouge et la mère-grand en sortirent aussitôt.
– Comme j'ai eu peur et comme il faisait noir là-dedans ! dit le Petit Chaperon rouge.
Pendant que le chasseur et Mère-Grand dégustaient la galette, la fillette alla chercher de grosses pierres et en remplit le ventre du loup. Pour finir, la mère-grand recousit le tout.
Quand il se réveilla, le loup était si lourd qu'il tomba plusieurs fois avant de réussir à se mettre debout.

Alors qu'il se traînait jusque chez lui, il décida que plus jamais
il ne ferait un tel repas.
Quant au Petit Chaperon rouge, elle avait compris la leçon :
désormais, elle suivrait le chemin indiqué par sa maman
et n'écouterait plus les méchants loups gourmands.

GLOU
GLOU